这是我的书 It's MY BOOK 7级：400字

风车的故事

作者：秦志宁（Zhining Chin）
配图：秦志宁（Zhining Chin）

北京语言大学出版社
BEIJING LANGUAGE AND CULTURE UNIVERSITY PRESS

PHOENIX TREE
PHOENIX TREE PUBLISHING INC.

识读 休息 转动 同样
通往 农田 开始

句型 把……（送到）……

字数 392字

wǒ shì yí gè lǎo fēng chē wǒ yǐ jīng kuài zhuàn
我是一个老风车，我已经快转

bu dòng le hěn kuài jiù kě yǐ xiū xi le jīn tiān
不动了，很快就可以休息了。今天

jiù lái shuō shuo wǒ men fēng chē de gù shi ba
就来说说我们风车的故事吧！

wǒ yǒu sì gè dà dà de yè piàn fēng yì chuī
我有四个大大的叶片。风一吹
guo lai tā men jiù kāi shǐ zhuàn dòng fēng yì tíng
过来，它们就开始转动；风一停，
tā men jiù yě tíng xia lai dà zì rán de fēng tiān tiān
它们就也停下来。大自然的风天天
dōu zài chuī wǒ yě yì zhí gēn zhe zhuàn ge bù tíng
都在吹，我也一直跟着转个不停。
jiù zhè yàng wǒ bǎ fēng de lì liàng sòng gěi rén men
就这样，我把风的力量送给人们，
rén men jiù kě yǐ lì yòng fēng
人们就可以利用风
lì zuò hěn duō shì qing le
力做很多事情了。

fēng chuī zhe wǒ de yè piàn ràng tā men zhuàn
风吹着我的叶片，让它们转
dòng qi lai yè piàn yòu dài zhe wǒ shēn tǐ li de
动起来。叶片又带着我身体里的
dà lún zi zhuàn dòng qi lai zhè xiē lún zi huì tuī
大轮子转动起来，这些轮子会推
dòng qí tā gōng jù qù gōng zuò bǐ rú dǎ shuǐ jī
动其他工具去工作，比如打水机
jiù huì bǎ dì xià de shuǐ dǎ shang lai
就会把地下的水打上来。

wǒ de yè piàn yì kāi shǐ zhuàn dòng dǎ shuǐ de
我的叶片一开始转动，打水的
gōng jù jiù gēn zhe yí shàng yí xià de dòng qi lai bǎ
工具就跟着一上一下地动起来，把
dì xià de shuǐ bú duàn de sòng dào dì miàn shang fēng bù
地下的水不断地送到地面上。风不
tíng de chuī wǒ bù tíng de gōng zuò
停地吹，我不停地工作。

dì xià de shuǐ huā
地下的水哗
lā lā de liú dào nóng tián
啦啦地流到农田
li ràng yòu miáo zhǎng
里，让幼苗长
dà biàn lǜ yǒu le fēng lì lái bāng zhù dǎ shuǐ
大变绿。有了风力来帮助打水，
nóng mín jiù bú yòng dān xīn tián dì quē shuǐ le
农民就不用担心田地缺水了。

xiàn zài wǒ yòu yǒu le hěn duō xīn péng
现在，我又有了很多新朋
you tā men zhǎng de hé wǒ bù yí yàng bǐ wǒ
友。它们长得和我不一样，比我
gāo dà tā men zhǐ yǒu sān gè yè piàn bú guò
高大。它们只有三个叶片，不过
tā men néng zuò tóng yàng de shì qing nà jiù shì bǎ
它们能做同样的事情，那就是把
fēng de lì liàng sòng gěi rén men bù tóng de shì
风的力量送给人们。不同的是，
tā men bǎ fēng lì zhuǎn huà chéng diàn lì sòng dào le
它们把风力转化成电力，送到了
fā diàn chǎng
发电厂。

fā diàn chǎng fā de diàn tōng wǎng qiān qiān wàn wàn
发电厂发的电通往千千万万

gè jiā tíng yòng fēng lì fā diàn bǐ yòng qí tā yuán liào
个家庭。用风力发电比用其他原料

gèng qīng jié gèng gān jìng yě gèng pián yi wǒ hé
更清洁、更干净，也更便宜。我和

wǒ de xīn péng you dōu shì rén men de hǎo péng you
我的新朋友都是人们的好朋友！

1 我是一个老风车，我已经快转不动了，很快就可以休息了。今天就来说说我们风车的故事吧！

2 我有四个大大的叶片。风一吹过来，它们就开始转动；风一停，它们就也停下来。大自然的风天天都在吹，我也一直跟着转个不停。就这样，我把风的力量送给人们，人们就可以利用风力做很多事情了。

3 风吹着我的叶片，让它们转动起来。叶片又带着我身体里的大轮子转动起来，这些轮子会推动其他工具去工作，比如打水机就会把地下的水打上来。

4 我的叶片一开始转动，打水的工具就跟着一上一下地动起来，把地下的水不断地送到地面上。风不停地吹，我不停地工作。

5 地下的水哗啦啦地流到农田里，让幼苗长大变绿。有了风力来帮助打水，农民就不用担心田地缺水了。

6 现在，我又有了很多新朋友。它们长得和我不一样，比我高大。它们只有三个叶片，不过它们能做同样的事情，那就是把风的力量送给人们。不同的是，它们把风力转化成电力，送到了发电厂。

7 发电厂发的电通往千千万万个家庭。用风力发电比用其他原料更清洁、更干净，也更便宜。我和我的新朋友都是人们的好朋友！

1

2

3

4

5

6

看图讲故事

7